Les plus belles histoires de Noël

Milan

SOMMAIRE

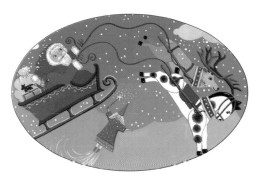

CLEMENTINE

8

CHOCOLAT

'est bientôt Noël.

Monsieur Astor, le pâtissier,

a rempli sa vitrine de chocolats.

Il sait tout faire en chocolat :
des pères Noël, des bateaux, des poupées,
mais ce qu'il réussit le mieux, ce sont
les animaux. Ils sont tellement beaux
qu'on dirait des vrais !

Un jour, Mamie emmène Clémentine dans
la boutique de monsieur Astor et lui dit
de choisir un animal en chocolat.

Un chien, un bambi, un petit canard ?
Clémentine choisit un chat.

Qu'il est beau, tout noir, avec une tache
de chocolat blanc sur les oreilles et
des yeux en sucre jaune !

9

Clémentine le trouve si mignon que finalement elle n'a pas envie de le manger. Elle le pose près de son lit et tous les soirs elle lui parle. Mais elle ne le touche pas. Câlins interdits sinon le joli chaton fondrait.

Un soir, Clémentine lui dit :
– Tu sais, Minou, le père Noël va passer cette nuit, et demain j'aurai plein de cadeaux. Mais ce que je voudrais vraiment, c'est un vrai petit chat, joli comme toi.

Le lendemain, Clémentine dort encore quand elle sent quelque chose marcher sur son ventre et venir souffler doucement dans son cou. Toute surprise, elle ouvre les yeux : à trois centimètres de son nez, il y a un autre nez, rose, tout petit, et des yeux jaunes, des oreilles blanches, un pelage noir très doux…

Le chat en chocolat a disparu. Sur le lit de Clémentine ronronne un vrai petit chat. Ah ! là, là ! il se passe de drôles de choses, la nuit de Noël ! Mais Papa et Maman ne sont pas contents.

– Comment as-tu fait entrer cet animal ? demandent-ils.

Clémentine leur explique qu'elle n'a rien fait, que c'est le père Noël qui a tout arrangé. Ses parents sont vraiment très étonnés, mais ce chaton est si joli !

– Allons, dit Maman, viens m'aider, nous allons lui préparer à manger.

Et bien sûr, Clémentine décide d'appeler son chat… Chocolat.

Le père Noël a disparu !

 e matin-là le soleil se leva mais rien ne se passa…
Ce matin-là le coq chanta mais rien n'arriva…
Dans la forêt il n'y avait aucun bruit.
Pas de traîneau qui glisse, pas de bottes
qui crissent, pas de père Noël qui s'agite.
Rien !
Rien que le silence dans la forêt immense.

Alors on s'étonna…
Ce furent d'abord les lutins,
qui comme chaque matin sciaient, coupaient,
rabotaient et triaient des bûches de bois
qu'ils rangeaient bien droit. Ils s'arrêtèrent
soudain et écoutèrent.
Mais rien !
Rien que le silence dans la forêt immense.

12

Ce furent ensuite les farfadets
qui fabriquaient les jouets.
Pan ! un coup de marteau.
Sriss ! un tour de vis.
Schlac ! l'affaire est
dans le sac !

Ils s'arrêtèrent également et écoutèrent.
Mais rien !
Rien que le silence dans la forêt immense.

Ce furent enfin les fées qui de leurs doigts fuselés
filaient, tissaient, découpaient et cousaient les habits
des poupées.

Elles s'arrêtèrent à leur tour et écoutèrent.
Mais rien !
Rien que le silence dans la forêt immense.
Alors on s'inquiéta...

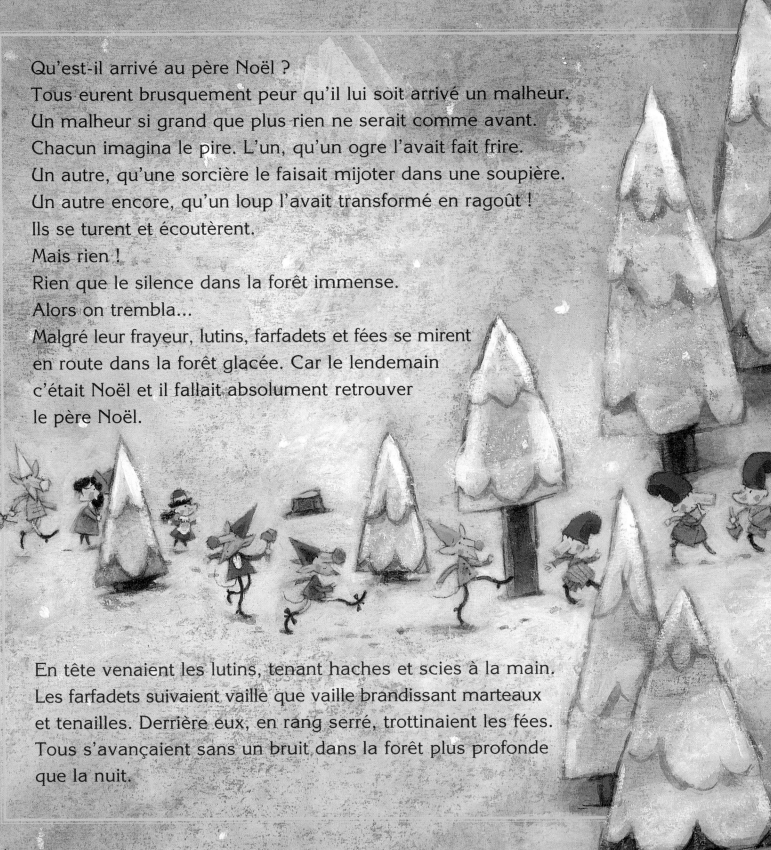

Qu'est-il arrivé au père Noël ?

Tous eurent brusquement peur qu'il lui soit arrivé un malheur.

Un malheur si grand que plus rien ne serait comme avant.

Chacun imagina le pire. L'un, qu'un ogre l'avait fait frire.

Un autre, qu'une sorcière le faisait mijoter dans une soupière.

Un autre encore, qu'un loup l'avait transformé en ragoût !

Ils se turent et écoutèrent.

Mais rien !

Rien que le silence dans la forêt immense.

Alors on trembla...

Malgré leur frayeur, lutins, farfadets et fées se mirent
en route dans la forêt glacée. Car le lendemain
c'était Noël et il fallait absolument retrouver
le père Noël.

En tête venaient les lutins, tenant haches et scies à la main.
Les farfadets suivaient vaille que vaille brandissant marteaux
et tenailles. Derrière eux, en rang serré, trottinaient les fées.
Tous s'avançaient sans un bruit dans la forêt plus profonde
que la nuit.

Au détour d'un chemin,
nichée au milieu des sapins,
ils aperçurent la maison du père Noël.
Ils s'en approchèrent tout doucement, sursautant
au moindre souffle de vent.

Clac ! clac ! clac !
faisaient leurs dents.
Clic ! clic ! clic !
faisaient leurs genoux.
Bong ! bong ! bong !
faisaient leurs cœurs.

15

Ils allaient frapper à la porte, quand soudain retentit
le plus terrible des cris :
Hou ! hou ! hou !
– Le loup ! C'est sûrement le loup ! s'écrièrent les fées
en prenant leurs jambes à leur cou.
Puis ils entendirent un ricanement à vous glacer le sang :
Ha ! ha ! ha !
– La sorcière ! C'est sûrement la sorcière ! hurlèrent
les farfadets en détalant ventre à terre.
Puis résonna un effroyable bruit de bottes à vous donner
la fièvre et la tremblote :
Boum ! boum ! boum !
– L'ogre ! c'est sûrement l'ogre ! couinèrent les lutins
en s'enfuyant comme des lapins.

Ne restait que Perlimpinpin, le plus petit des lutins.
Il avait aussi peur que n'importe qui mais le père Noël était
son meilleur ami. Alors il grimpa tout en haut de la cheminée
et se glissa en tremblant dans le conduit plus noir que la nuit.
Et savez-vous ce qu'il y trouva ?

Le père Noël en pyjama...
Coincé dans la cheminée, la tête en bas,
qui faisait des « hou ! hou ! » et des « ha ! ha ! » et essayait de se dégager
de la hotte à grands coups de bottes.
– Mais Père Noël, que faites-vous là ? s'exclama Perlimpinpin, étonné,
tout en essayant de le dégager.

Le père Noël répondit en rougissant :
– J'ai voulu m'entraîner pour cette nuit, mais je crois que j'ai un peu grossi...
Perlimpinpin le poussa tant et tant que, en deux temps trois mouvements, les voilà tous deux par terre, tout étourdis et noirs de suie.

Le père Noël remercia son ami et lui jura de ne manger que des salsifis jusqu'à la prochaine nuit. Perlimpinpin partit rassuré, le père Noël pourrait faire sa tournée !

19

PÈRE NOËL

Dans trois jours, c'est Noël. Timothée se promène avec son papa. La ville a mis sa robe de princesse, lumières, chansons en veux-tu en voilà...

– Dis, Papa, le père Noël, il habite dans la même ville que moi ?
Ding, ding, ding ! comme un grelot au fond d'une poche, un bruit très doux répond à sa question.
Au coin de la rue, Timothée aperçoit un grand manteau qui disparaît aussitôt.

– Dis, Papa, ce manteau, tu l'as vu comme moi. Il n'avait pas l'air bien propre, il était décousu aux manches... Mais il était rouge ! Et si c'était le manteau du père Noël ?

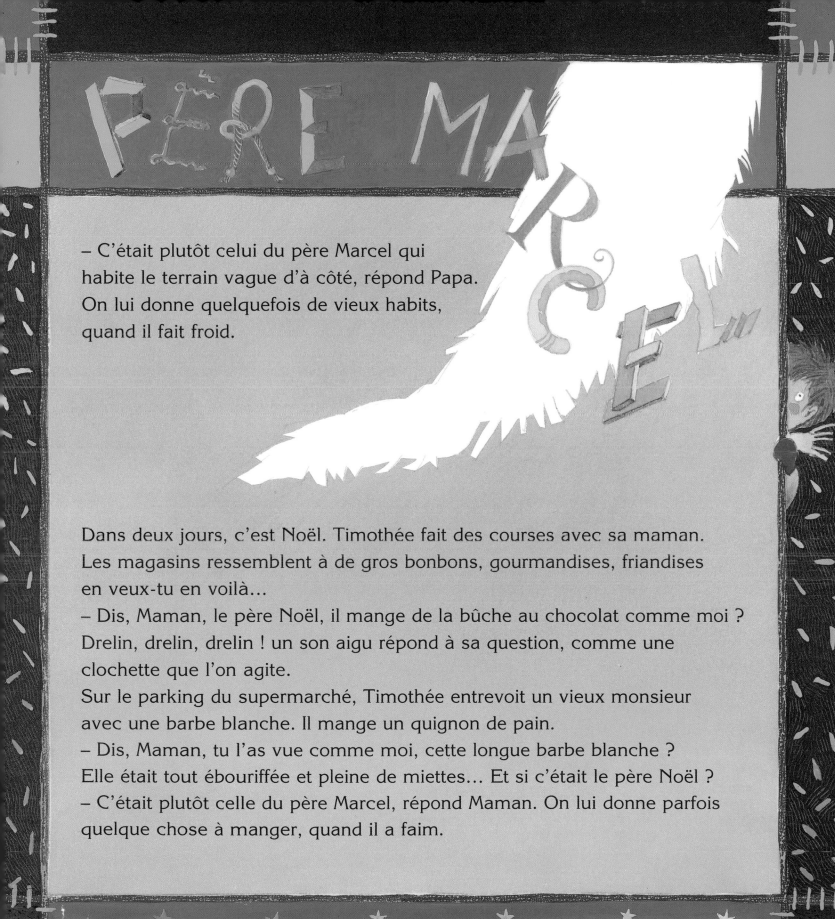

– C'était plutôt celui du père Marcel qui
habite le terrain vague d'à côté, répond Papa.
On lui donne quelquefois de vieux habits,
quand il fait froid.

Dans deux jours, c'est Noël. Timothée fait des courses avec sa maman.
Les magasins ressemblent à de gros bonbons, gourmandises, friandises
en veux-tu en voilà...
– Dis, Maman, le père Noël, il mange de la bûche au chocolat comme moi ?
Drelin, drelin, drelin ! un son aigu répond à sa question, comme une
clochette que l'on agite.
Sur le parking du supermarché, Timothée entrevoit un vieux monsieur
avec une barbe blanche. Il mange un quignon de pain.
– Dis, Maman, tu l'as vue comme moi, cette longue barbe blanche ?
Elle était tout ébouriffée et pleine de miettes... Et si c'était le père Noël ?
– C'était plutôt celle du père Marcel, répond Maman. On lui donne parfois
quelque chose à manger, quand il a faim.

Demain, c'est Noël. Timothée décore le sapin avec sa grande sœur.
La maison scintille comme une étoile dans la nuit, guirlandes,
boules dorées en veux-tu en voilà…
– Dis, Lucie, le père Noël, il a un lit bien douillet, comme moi ?
Ding, dong, ding, dong ! c'est le carillon de la porte d'entrée qui lui répond.
Timothée se précipite. Mais il n'y a plus personne devant la porte,
seulement des traces de bottes dans la neige fraîche.
– Dis, Lucie, tu vois ces traces de bottes ? Elles sont pleines
de boue… Mais, si c'étaient les bottes du père Noël ?
– Ce sont plutôt celles du père Marcel, répond Lucie. Maman les
lui a données, il les a portées toute l'année. Il vient parfois demander
un peu de monnaie.
Aujourd'hui, c'est le jour de Noël. Timothée sort tout seul
de sa maison. Le monde rêve encore sous son édredon
de neige, cadeaux, surprises en veux-tu en voilà…
– Mon père Noël à moi n'a pas de bûche
au chocolat, pas de lit douillet, ni même
de boîte aux lettres. Et surtout, il n'a
personne pour lui tenir compagnie.
Alors je vais lui porter moi-même
mon invitation.

Dong, dong, dong ! le cœur de Timothée bat à toute volée, tandis qu'il glisse sous la porte de la cabane du père Marcel une petite carte où il a écrit :

Cher Père Noël,

Inutile de te cacher plus longtemps ! j'ai reconnu ton manteau rouge, ta barbe blanche et les grandes bottes.
Si tu n'as pas envie de rester tout seul chez toi, viens vite nous rejoindre à la maison.
Il y a un gros morceau de bûche, des bottes toutes neuves et une place dans mon cœur pour toi.

Timothée de la maison d'à côté.

23

Jojo Crapoto et le père Noël

ou, hou ! Qui connaît Jojo Crapoto ?
Il habite tout seul dans une cabane.
La bonne humeur lui fait horreur,
il adore semer la terreur.
Ce soir, comme tous les soirs,
Jojo s'ennuie. Il observe la campagne autour
de lui. Tout à coup, il pousse un cri :
– Hé ! Qu'est-ce que c'est que ça ?
Dans le ciel, il vient d'apercevoir un truc rouge
qui fonce dans la nuit noire.
Jojo prend ses jumelles.
– Oui, oui, c'est bien lui...
Le père Noël avec ses rennes, son traîneau
et ses milliers de cadeaux !
Jojo piétine le sol en grognant :
– Ah ! Je déteste ce vieux gaga qui rend tous les enfants
 heureux. Cette fois, parole de Jojo, le père Noël ne passera pas !

Vite, Jojo va chercher dans un placard secret
son pistolet à peinture comprimée.
Il saute dans son hélicoptère à air conditionné
et il s'envole à la poursuite du père Noël.

Trois minutes plus tard, Jojo dans son hélico a rattrapé
le père Noël sur son traîneau. Il lui montre son pistolet en criant :
– Haut les mains, peau de lapin ! Haut les pieds,
peau de navet ! Pose ton traîneau devant chez moi
sinon je t'asperge de peinture caca d'oie !
Le père Noël n'est pas rassuré,
il atterrit sans discuter.
Jojo le pousse dans sa cave.

CLIC, CLAC, il ferme la porte à clé.
Voilà le père Noël prisonnier !
Jojo Crapoto se frotte les mains.
Il ricane :
– Cette année, tous les joujoux sont
pour Jojo !
Puis il va s'installer dans son fauteuil
et il s'endort.
Dans la cave, le père Noël réfléchit.
Il n'a pas l'intention de rester ici.
Ça y est, il a une idée !
C'est risqué mais il faut essayer.

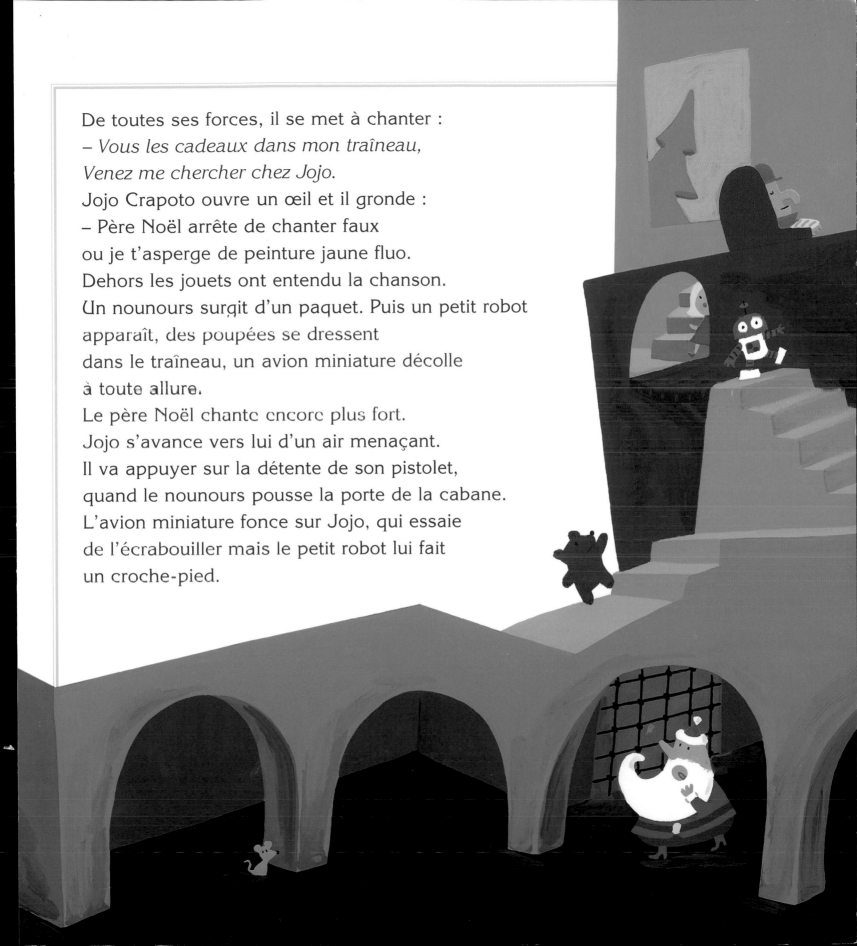

De toutes ses forces, il se met à chanter :
– *Vous les cadeaux dans mon traîneau,*
Venez me chercher chez Jojo.
Jojo Crapoto ouvre un œil et il gronde :
– Père Noël arrête de chanter faux
ou je t'asperge de peinture jaune fluo.
Dehors les jouets ont entendu la chanson.
Un nounours surgit d'un paquet. Puis un petit robot
apparaît, des poupées se dressent
dans le traîneau, un avion miniature décolle
à toute allure.
Le père Noël chante encore plus fort.
Jojo s'avance vers lui d'un air menaçant.
Il va appuyer sur la détente de son pistolet,
quand le nounours pousse la porte de la cabane.
L'avion miniature fonce sur Jojo, qui essaie
de l'écrabouiller mais le petit robot lui fait
un croche-pied.

Jojo tombe à la renverse, et poum ! il est assommé.
Vite les poupées l'entortillent dans du papier cadeau.
Voilà Jojo empaqueté, embobeliné !
Aussitôt, le nounours grimpe sur les épaules
du robot.
CLIC ! CLAC ! il ouvre la porte de la cave.
Le père Noël est délivré !
Tout heureux, il prend les jouets dans ses bras.
– Merci mille fois, les amis. Maintenant,
filons d'ici.
Ensemble, ils bondissent dans le traîneau,
qui s'élance dans le ciel à toute vitesse.

Le matin, quand Jojo Crapoto se dégage
du papier cadeau, le père Noël est déjà loin.
Sa tournée est terminée. Jojo est tellement
en colère qu'il bafouille de sa grosse voix :
– J'ai envie de tout ca-ca, de tout casser !
Brusquement, il s'arrête de crier car,
devant la cheminée, il découvre un paquet.
Sans hésiter il l'ouvre.
Et dans le paquet, qu'y a-t-il ?
Un poste de radio.
Jojo appuie sur un bouton et il entend :
– Bonjour, vous êtes bien sur Père Noël Info.
Joyeux Noël à tous, même aux affreux jojos !

Pour la première fois de sa vie,
Jojo vient de recevoir un cadeau.
Il se sent tout bizarre.
Oui, pour la première fois de sa vie,
il se sent de très, très bonne humeur.

Le cadeau du père Noël

’est le 24 décembre.
Comme tous les ans, le père Noël
enfile son costume rouge et il commence à remplir son traîneau
de jouets pour les enfants. Il attrape un camion de pompiers
et il le trouve si beau qu'il se dit :
– Je vais jouer avec lui cinq petites minutes. Pin-pon ! Pin-pon !
Le père Noël devient pompier. Puis c'est au tour des poupées. Il les recoiffe,
leur met des bigoudis et des petits nœuds dans les cheveux.
Maintenant, le père Noël sort une locomotive de sa boîte et il l'installe sur ses rails.
– Tchou ! tchou ! tchou !
La locomotive s'éloigne en sifflant. Elle bute contre une boule de neige.
Bing ! c'est l'accident !
Le père Noël éclate de rire. Il ne s'est jamais autant amusé. Clignotant
et Supertaxi, les deux rennes qui conduisent son traîneau, arrivent au galop.
Ils ouvrent de grands yeux en découvrant le père Noël à quatre pattes dans
la neige, au milieu des jouets en désordre.

31

Supertaxi bégaie :

– Pè-père Noël, dépêche-toi, nous allons être en retard !

Et Clignotant se fâche :

– Allez, Père Noël ! Il faut ranger tous les jouets !

Le père Noël devient rouge comme un coquelicot. Il empile les jouets dans son traîneau mais il ne peut s'empêcher de soupirer, en regardant le camion de pompiers :

– Ce n'est pas toujours drôle d'être le père Noël. Personne ne me fait jamais de cadeau !

Comme il a bon caractère, le père Noël retrouve le sourire. Toute la nuit, il distribue ses cadeaux aux enfants. Enfin, au matin, le père Noël rentre chez lui, épuisé.

Au moment de se coucher, il aperçoit sur son lit un gros paquet avec un mot écrit en lettres rouges :

Joyeux Noël ! Père Noël.

Oh ! surprise ! Dans le paquet il y a justement le cadeau qui faisait envie au père Noël. Le père Noël s'endort, le camion de pompiers serré sur son cœur.

NOËL ROYAL

I l était une fois un roi qui s'appelait Amédée Ier.
Il vivait seul dans son grand château, avec
Antoinénette, sa vieille nourrice. Mais en cette veille
de Noël, tout roi qu'il était, il se sentait très triste.
– Je suis le plus malheureux des hommes, gémissait-il.
Pauvre de moi. Demain, c'est Noël et j'ai beau chercher,
je ne trouve rien à demander au père Noël.

Comme le temps pressait, il fit venir ses trois conseillers.
– Je dois écrire sans tarder ma lettre au père Noël, dit-il.
Que puis-je lui commander que je ne possède déjà ?
Le conseiller au Trésor se racla la gorge :
– Voyons, Sire, des pièces d'or : une hotte pleine
à ras bords de belles pièces sonnantes
et trébuchantes.
– Non, dit le roi en faisant la moue, j'ai déjà
tant d'or et d'argent que dix salles de mon
château en sont remplies.

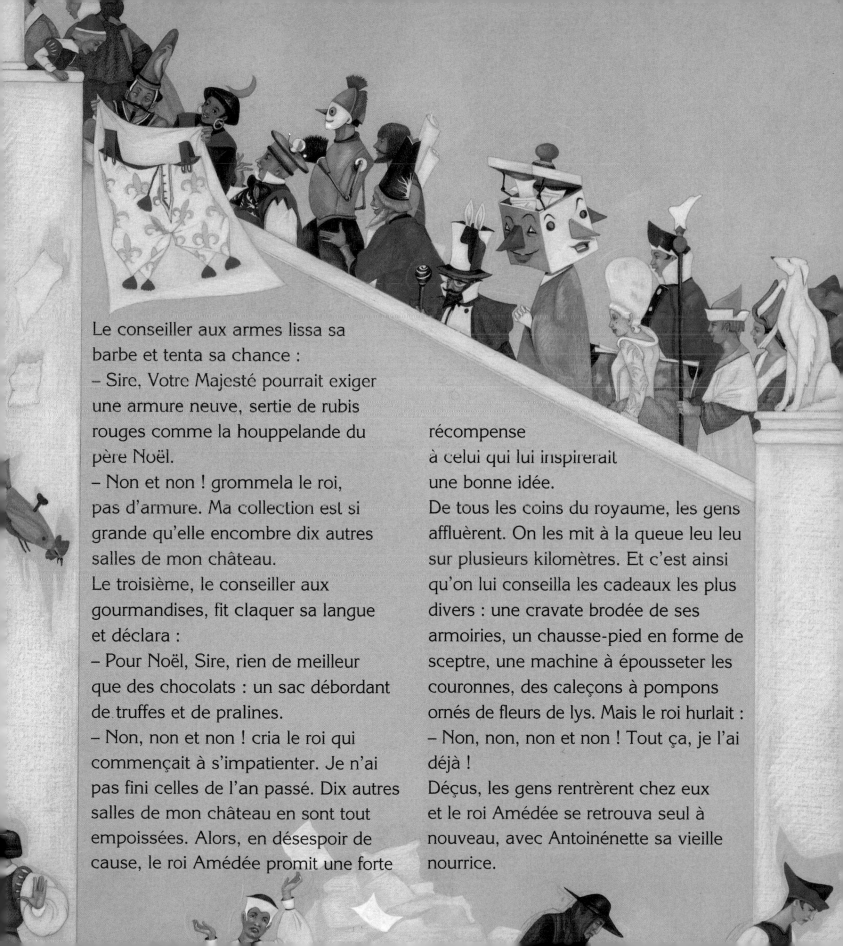

Le conseiller aux armes lissa sa barbe et tenta sa chance :

– Sire, Votre Majesté pourrait exiger une armure neuve, sertie de rubis rouges comme la houppelande du père Noël.

– Non et non ! grommela le roi, pas d'armure. Ma collection est si grande qu'elle encombre dix autres salles de mon château.

Le troisième, le conseiller aux gourmandises, fit claquer sa langue et déclara :

– Pour Noël, Sire, rien de meilleur que des chocolats : un sac débordant de truffes et de pralines.

– Non, non et non ! cria le roi qui commençait à s'impatienter. Je n'ai pas fini celles de l'an passé. Dix autres salles de mon château en sont tout empoissées. Alors, en désespoir de cause, le roi Amédée promit une forte récompense à celui qui lui inspirerait une bonne idée.

De tous les coins du royaume, les gens affluèrent. On les mit à la queue leu leu sur plusieurs kilomètres. Et c'est ainsi qu'on lui conseilla les cadeaux les plus divers : une cravate brodée de ses armoiries, un chausse-pied en forme de sceptre, une machine à épousseter les couronnes, des caleçons à pompons ornés de fleurs de lys. Mais le roi hurlait :

– Non, non, non et non ! Tout ça, je l'ai déjà !

Déçus, les gens rentrèrent chez eux et le roi Amédée se retrouva seul à nouveau, avec Antoinénette sa vieille nourrice.

Quand, soudain, quelqu'un appela derrière les murailles :
– Ouvrez, c'est moi, Grégoire Bellepoire,
le troubadour. Souvenez-vous, Sire, le spectacle
de Noël, l'an passé...
Quand le pont-levis s'abaissa, un grand homme
maigre s'avança. Autour de lui, comme un troupeau
craintif, se pressait un groupe d'enfants pâles.

– Qu'on les fasse entrer, dit le roi
qui n'attendait plus personne. Voyons,
Grégoire Bellepoire, ce nom me dit
quelque chose... Un robuste acrobate,
chef d'une brillante troupe d'enfants
aux costumes magnifiques !
Que vous est-il arrivé ?

Grégoire s'installa avec les enfants,
devant la grande cheminée et il évoqua
tous leurs malheurs : la maladie, tout d'abord,
qui avait emporté sa femme, le laissant seul
avec leurs dix enfants, puis les recettes de plus
en plus mauvaises, les tavernes crasseuses,
la famine, les petits pieds nus dans la neige,
les loups dans les bois et, pour finir, ces brigands
qui venaient de leur voler leurs costumes
et leurs instruments de musique.
– La veille de Noël, Sire, faut-il avoir le cœur dur !
 soupira le pauvre homme.

36

Oubliant sa lettre au père
Noël (de toutes façons,
il était trop tard maintenant),
le roi demanda à Antoinénette
de préparer un bon festin
et il déclara :
– En cette veille de Noël,
vous êtes tous mes invités.

Jamais réveillon ne fut plus
joyeux dans le château
du roi Amédée. Les joues
des enfants devinrent roses
de plaisir.
   Ils mangèrent comme des
   ogres puis ils grimpèrent
   sur le trône et jouèrent
   à colin-maillard
   avec le roi.

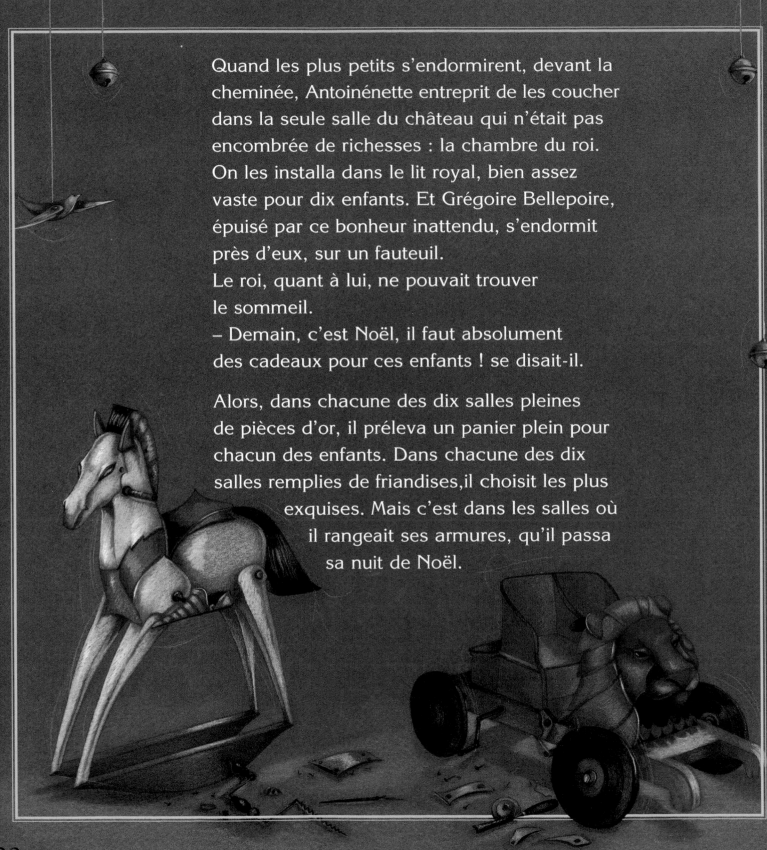

Quand les plus petits s'endormirent, devant la
cheminée, Antoinénette entreprit de les coucher
dans la seule salle du château qui n'était pas
encombrée de richesses : la chambre du roi.
On les installa dans le lit royal, bien assez
vaste pour dix enfants. Et Grégoire Bellepoire,
épuisé par ce bonheur inattendu, s'endormit
près d'eux, sur un fauteuil.
Le roi, quant à lui, ne pouvait trouver
le sommeil.
– Demain, c'est Noël, il faut absolument
des cadeaux pour ces enfants ! se disait-il.

Alors, dans chacune des dix salles pleines
de pièces d'or, il préleva un panier plein pour
chacun des enfants. Dans chacune des dix
salles remplies de friandises,il choisit les plus
exquises. Mais c'est dans les salles où
il rangeait ses armures, qu'il passa
sa nuit de Noël.

38

À l'aide d'un tournevis et d'un marteau,il démonta dix armures magnifiques. Puis, avec les pièces détachées, il fabriqua toutes sortes de jouets : des voitures à pédales, des poussettes pour les poupées et des chevaux à bascule…
C'est aux premières lueurs de l'aube, quand il eut déposé ses cadeaux au pied du lit où dormaient les dix petits, qu'il comprit qu'il venait de recevoir le plus merveilleux des cadeaux qu'aucun père Noël n'aurait pu lui offrir : il n'était plus seul dans son château !
Alors il décida de garder auprès de lui, tant qu'ils le voudraient, le troubadour et toute sa famille.

Éloi, petit cheval de bois

C e soir, Éloi est triste.
C'est Noël, mais il se sent morose...
Il pense à autre chose.
Les jouets, les chocolats ne sont
pas pour les chevaux de bois.

Éloi pense au temps
où il trottait à travers champs...
C'était un vrai cheval,
un cheval normal,
mais un jour, de colère,
il envoya un petit garçon par terre
parce qu'il tirait sur sa crinière...
Alors la fée Rutabaga,
ABRACADABRI ! ABRACADABRA !
le transforma en petit cheval de bois...

Depuis ce temps
il vit dans une chambre d'enfants.
Il aime ça, Éloi,
il est heureux comme un roi,
mais parfois,
il rêve d'un galop dans les bois...

5

Dans le salon,
le père Noël atterrit d'un bond,
et essuie ses bottes enneigées
sur le rebord de la cheminée :
– Un de mes rennes est malade !
Il a une patte en marmelade !
Un traîneau plein de cadeaux
pour un seul renne, c'est un peu trop !

En regardant les étoiles,
le père Noël a une idée GÉNIALE !
– Et le petit cheval de bois ?
Il appelle la fée Rutabaga :
– ABRACADABRI !
ABRACADABRA !

Là-haut, dans les nuages,
avance un drôle d'attelage
mené par un cheval de bois
qui galope dans le ciel
comme s'il avait des ailes…

Le loup

et
le père Noël

Je m'appelle Solitaire, je suis un grand
loup gris, et je vis… enfin je vivais,
tout seul au fond des bois.
L'embêtant, c'est que la solitude,
je n'aimais pas ça du tout. Mais dès que je sortais
des bois pour rencontrer d'autres animaux, c'était
la panique. En me voyant, les oiseaux s'envolaient
à tire-d'aile, les lapins se cachaient dans leurs
terriers, et les biches s'enfuyaient, tellement
elles avaient peur d'être dévorées.
J'avais beau crier :
– Hou, hou, il ne faut pas avoir peur !
Je ne mange que du cresson, de la salade
et des épinards !

Rien à faire, personne ne voulait me croire.
C'était triste, très triste, et je passais
des heures à broyer du noir, tout seul
au fond des bois. Cela aurait pu durer
longtemps comme ça, et puis la veille
de Noël, je me suis dit :
« Moi, Solitaire le grand loup gris, je vais
partir loin, très loin. À force de chercher,
je finirai bien par trouver quelqu'un
qui n'aura pas peur de moi. »
J'ai rempli mon sac à dos de cresson séché
(j'en avais ramassé tout plein l'été quand
il faisait chaud), et hop !
je me suis mis en route.

43

Il neigeait à gros flocons (c'est normal, c'était la veille
de Noël). Brrr…! ça faisait froid aux pattes.
Mais sans me décourager, j'ai décidé d'avancer jusqu'à
ce que je rencontre quelqu'un qui accepte de me parler.
En arrivant près du village, j'ai aperçu des enfants
qui faisaient une bataille de boules de neige.
Je me suis approché sans bruit pour ne pas les effrayer,
quand, brusquement, boum ! j'ai reçu une boule de neige
entre les deux oreilles. Mettez-vous à ma place, j'ai cru
que les enfants avaient envie de jouer avec moi,
de me parler… Alors, je me suis dressé sur les pattes
arrière pour leur montrer à quel point j'étais grand et beau
et j'ai dit doucement :
– HOUHOUHOU OUH OUH OUOU !
En langage de loup, ça veut dire :
– Joyeux Noël, les enfants !
Eh bien, les enfants n'ont rien compris !
La preuve, ils se sont mis à hurler :
– Au secours, le loup veut nous manger !
Bonjour les dégâts ! Les habitants du village
sont sortis de leurs maisons avec d'énormes
fusils, et PAN PAN ! ils ont essayé
de me tuer. Affolé, j'ai pris mes pattes
à mon cou.

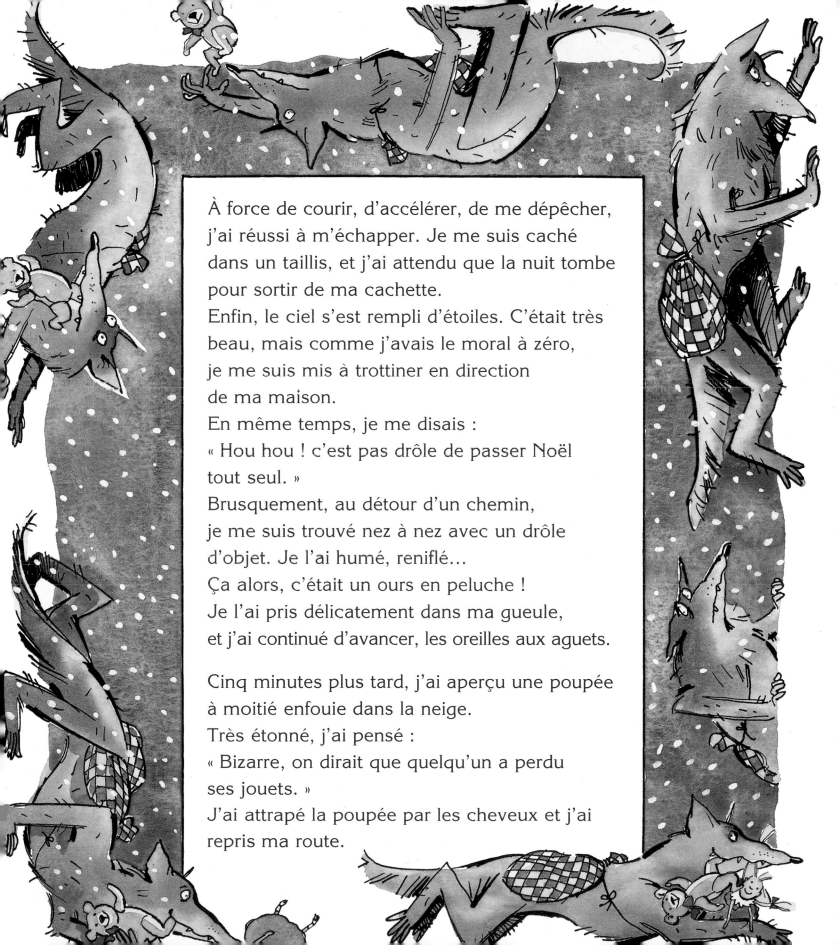

À force de courir, d'accélérer, de me dépêcher,
j'ai réussi à m'échapper. Je me suis caché
dans un taillis, et j'ai attendu que la nuit tombe
pour sortir de ma cachette.
Enfin, le ciel s'est rempli d'étoiles. C'était très
beau, mais comme j'avais le moral à zéro,
je me suis mis à trottiner en direction
de ma maison.
En même temps, je me disais :
« Hou hou ! c'est pas drôle de passer Noël
tout seul. »
Brusquement, au détour d'un chemin,
je me suis trouvé nez à nez avec un drôle
d'objet. Je l'ai humé, reniflé…
Ça alors, c'était un ours en peluche !
Je l'ai pris délicatement dans ma gueule,
et j'ai continué d'avancer, les oreilles aux aguets.

Cinq minutes plus tard, j'ai aperçu une poupée
à moitié enfouie dans la neige.
Très étonné, j'ai pensé :
« Bizarre, on dirait que quelqu'un a perdu
ses jouets. »
J'ai attrapé la poupée par les cheveux et j'ai
repris ma route.

Au pied d'un grand chêne, j'ai aperçu
un traîneau étincelant de lumières.
Parole de loup, à côté du traîneau,
il y avait un drôle de bonhomme tout
habillé de rouge ! Je l'ai entendu dire
aux deux rennes attelés au traîneau :
– J'ai perdu un ou deux jouets. Il faut
les retrouver, sinon, catastrophe !
il y aura des enfants qui se
retrouveront sans jouet.
Alors… j'ai senti mon cœur qui faisait
boum. Devant moi,en chair et en os,
se tenait le père Noël.
Aussitôt, j'ai pensé :

– Si le père Noël me voit, il va
s'évanouir de terreur, et ça, je ne peux
pas le supporter. Parce que le père
Noël, je l'aime, je l'adore.
J'allais m'enfuir sur la pointe des
pattes, quand le père Noël a tourné la
tête et m'a aperçu. Il n'a pas crié,
il ne s'est pas évanoui de terreur !
Au contraire, il m'a dit avec un gentil
sourire :
– Joyeux Noël, Solitaire. Qu'est-ce
que tu fais à cette heure-là, tout seul
au fond des bois ?
Mes yeux se sont remplis de larmes.
C'était la première fois que quelqu'un
me parlait. Alors j'ai répondu :
– Hou, hou ! Père Noël, j'ai retrouvé
tes jouets dans la neige. Si tu veux,
je peux rester avec toi, et t'aider
à les distribuer.

Le père Noël m'a caressé entre les deux
oreilles. Il m'a souri, et ses yeux étaient
remplis d'étoiles :
– Quelle bonne idée, Solitaire !
Depuis cette nuit-là, le père Noël et moi,
on ne se quitte plus. Le 24 décembre,
je l'aide à distribuer ses jouets, et le reste
du temps, je lui tiens compagnie
sur l'étoile Polaire. Eh oui… c'est là
qu'il habite… Mais c'est un secret,
il ne faut le dire à personne.

La cabane au fond des bois

En ce jour du 24 décembre, Sylvie et Robin travaillaient avec leur père au plus profond d'une forêt de montagne.

Sur la fin de l'après-midi, deux longues oreilles pointèrent au bord de la clairière. Abandonnant la serpe, les enfants du bûcheron se lancèrent à la poursuite de l'animal.
Le père les rappela :
– Robin ! Sylvie ! Où allez-vous ?
– On a vu un levraut des neiges, Papa ! On va l'attraper !

Hop ! Hop ! Les pattes du jeune lièvre se détendaient comme des ressorts tandis que les enfants couraient derrière en riant. Pris par le jeu, ils ne prêtèrent pas attention à la tempête de neige qui commençait. Le lièvre disparut dans des tourbillons de flocons ; le frère et la sœur s'inquiétèrent : « De quel côté se diriger ? »
Main dans la main, ils appelèrent :
– Papa ! Papa !
Seul le vent leur répondait. Le lièvre blanc réapparut. Ses bonds sur place semblaient dire : « Suivez-moi ! Je sais où aller ! »

Robin et Sylvie grimpèrent sur ses traces vers les sommets, passèrent
un col. La tempête s'arrêta, une vallée inconnue apparut. Près d'un torrent
gelé, contre un sapin géant scintillant de guirlandes, se tenaient
une petite maison et son immense cabane.
Le levraut alla directement gratter à la porte. Grat ! Grat !
La porte s'ouvrit sur un bonhomme à la barbe blanche qui prit
le levraut dans ses bras et s'exclama joyeusement :
– Ah, Carolus, te voilà ! Héloïse te cherchait partout !
Une bonne femme au fichu rouge vint dire derrière lui :
– Nono, voyons, fais entrer ces enfants,
il fait si froid dehors !

Carolus fila s'installer comme un chat dans le panier à bûches près du feu. Devant un bol de lait chaud au miel, les enfants racontèrent comment ils s'étaient perdus, puis Robin demanda :

– Pourquoi il est décoré, votre sapin ?

Héloïse répondit :

– Parce qu'à minuit ce sera Noël, qui est aussi notre jour de fête, à Nono et à moi.

– Votre fête ? s'étonna Sylvie.

– Oui, écoutez bien !

Et elle articula lentement en avançant les lèvres :

– No-no-Hél… oïse ! No-Hel ! Noël, quoi !

Quelle grimace ! Cela fit rire Carolus et les deux enfants.

Nono dit alors :

– Il y a aussi une surprise pour ceux qui viennent chez nous ce soir. Venez voir !

Sylvie et Robin suivirent Héloïse et Nono dans l'immense cabane
où attendaient des milliers, des millions de cadeaux !

    – Vous pouvez en prendre plusieurs, dit le bonhomme Nono ;
des cadeaux, nous en fabriquons toujours trop, car nous n'avons
pas assez de visites !

    Sylvie choisit un cerceau, une maison de poupée, puis réfléchit et dit :

    – Est-ce que je peux prendre quelque chose pour mon ami Luc…
et aussi pour François ?

Son frère, qui s'était décidé pour un petit établi de menuisier,
continua :

– Et moi, pour Arthur, Violaine et la vieille Mathilde ?

Les deux enfants n'avaient pas assez de bras, ou leurs bras n'étaient pas assez grands pour contenir de quoi faire plaisir à tous leurs amis.

Héloïse alla siffler sur le pas de la porte.

Dans un bruit de grelots, un traîneau volant tiré par des rennes apparut. Nono dit alors :

– Il est temps, maintenant, de vous ramener chez vous.

Minuit sonnait quand le traîneau se posa sur la chaumière de Robin
et Sylvie. Nono et Héloïse les embrassèrent, et Carolus agita les oreilles
pour leur dire : « À bientôt, dans la forêt ! »

Dans la chaumière, leur père tâchait de rassurer leur mère :
– On va les trouver, nos petits, ne t'inquiète pas…
Soudain, le feu faiblit. Les parents sursautèrent en entendant :
« Bonsoir, Papa ! Bonsoir, Maman ! » Quelle surprise ! Quelle joie !
C'est par la cheminée que leurs enfants leur revenaient !
« Robin et Sylvie étaient retrouvés ! » : les gens du village défilèrent dans
la chaumière quand ils surent la nouvelle.
À cette occasion, chacun reçut un cadeau que Robin et Sylvie choisissaient
dans un gros tas.
Nono et Héloïse, sur le toit, en entendant les cris de plaisir, se dirent :
– Mais voilà comment fêter vraiment notre fête de Noël !
Puis, ils ajoutèrent :
– Bonne idée !
Et ils partirent immédiatement, de cheminée en cheminée,
distribuer ce soir-là les cadeaux qui restaient.

54

Le lièvre

de Noël

Atchoum !
Atchoum !
Atchoum !
Le père Noël
est enrhumé. Pas question
de faire sa tournée cette
année. Son nez est aussi
rouge que son habit.
– Par ma barbe ! gémit-il.
Que faire ?
Toc, toc, toc !
C'est le lièvre de Pâques,
en vacances en cette saison,
qui vient prendre des
nouvelles de son ami.
Quand il le voit si mal
en point, il lui dit :
– Par mes oreilles, je pourrais
peut-être te remplacer !
Les cadeaux, ça me connaît.

Hop ! Hop ! Hop !
Aussitôt dit, aussitôt fait. Le lièvre de Pâques enfile la tenue du père Noël. Le bonnet rouge lui glisse sur le museau. Il trébuche sur le manteau trop long et fait la culbute. Mais il se trouve très beau.
– Par ma barbe ! déclare le père Noël, c'est la première fois que je vois un lièvre de Noël ! Ding, ding, ding ! Les clochettes des rennes du père Noël tintinnabulent joyeusement.

Le sac de jouets est prêt, mais le lièvre a du mal à le porter.

Heureusement, les rennes ont l'habitude. Ils l'aident et se mettent en route aussitôt.
– Par mes oreilles ! dit le lièvre, je vais faire mon baptême de l'air.

Brrr ! Brrr ! Brrr !

Comme il fait froid sur les toits, le soir de Noël. Et comme les cheminées sont noires.

Le lièvre a beau chercher dans les jardins couverts de neige : pas le moindre nid,

pas le moindre brin d'herbe.

Alors il prend son courage à deux pattes et plonge dans la première cheminée.

« Par la barbe blanche du père Noël, se dit-il, il faudra que je lui demande

comment il fait pour ne pas se salir ! »

Boum ! Badaboum !

L'atterrissage est un peu difficile.

Le lièvre se retrouve nez à nez avec un sapin. Il admire les boules
qui ressemblent à des œufs de Pâques, et saute à la corde avec les guirlandes.

Enfin, il essaye toutes les chaussures posées devant la cheminée.

Le coquin s'amuse si bien qu'il a juste le temps de disparaître quand un petit
garçon arrive.

« J'ai dû rêver, se dit l'enfant, mais j'ai cru apercevoir un drôle de père Noël
avec de très grandes oreilles ! »

Le bère Noël a un gros rhube

lorence dormait tranquillement dans son petit lit, quand, tout à coup, un bruit bizarre la réveille. Ça vient du salon. Qu'est-ce que c'est ? Quelqu'un éternue…
Florence a un peu peur, et puis elle se rappelle : avant de se coucher, elle a mis ses petits souliers au pied du sapin. Alors, c'est peut-être lui, le père Noël ? À travers les volets, les lumières de la rue éclairent l'appartement. Florence se lève, marche tout doucement dans le couloir et glisse un œil dans le salon : il y a quelqu'un, habillé d'un grand manteau ! Florence allume le lampe, toute contente de rencontrer le père Noël. Mais qu'est-ce qu'il a ? Il n'arrête pas d'éternuer et de se moucher.

– Oh ! une petite fille ! dit le père Noël. En byjama et bieds nus ! aha… aha… Atchoum ! Attention, tu vas avoir froid. Veux-tu vite… ah ! ah !… atchoum ! aller te recoucher !
– Oh non ! dit Florence, je ne veux pas me recoucher ! Mais attends, je vais mettre ma robe de chambre et mes chaussons.
Quand Florence revient, le père Noël est assis dans un fauteuil les yeux fermés.
– Tu es fatigué ? demande Florence.
– Très fatigué, dit le père Noël. J'ai pris froid. C'est une cat… cata… atchoum ! strophe, une catastrophe ! Je me demande comment je vais pouvoir continuer ma tournée.

Florence regarde vers le sapin et voit tous les cadeaux
que le père Noël a posés par terre. Elle est contente
mais, tout à coup, elle pense aux autres enfants !
Oh ! là, là ! si le père Noël est malade,
ils n'auront pas leurs cadeaux !
Alors, elle demande :
– Tu as pris des médicaments ?
– Non, dit le père Noël, je n'en ai pas.
– Tu sais, dit Florence, mon papa aussi,
il a le rhume, et il prend un médicament.
Viens, je vais te montrer où il est.

Dans la cuisine, Florence montre une petite bouteille tout en haut du placard. Le père Noël attrape la bouteille et lit soigneusement les explications.
– Oui, dit-il, c'est une potion pour le rhume. Il faut en mettre deux cuillerées dans un verre d'eau.
Florence lui donne la cuillère et un verre. Le père Noël prépare la potion, la goûte et fait une horrible grimace :
– Bouh ! que c'est mauvais, gémit-il. Je ne peux pas le boire.

– Mais, si tu ne le bois pas, tu ne vas pas guérir ! dit Florence.
Le père Noël regarde le médicament d'un air malheureux et ne bouge pas. Alors, Florence a une idée. Elle attrape la bouteille de grenadine. Hop ! un peu de sirop dans la potion… Elle remue bien et donne le verre au père Noël en disant, d'un air encourageant :
– Maintenant, c'est bon, allez, bois !

Le père Noël goûte la potion et la boit toute !
– Merci, petite fille, dit-il. Tu es un bon
docteur. Maintenant que je suis reposé
et réchauffé, je vais pouvoir continuer
ma tournée. Et toi, tu vas vite te
recoucher. Allez, je ne te fais pas
la bise, je ne voudrais pas que tu at…
at… attrapes le rhume.

Eh non ! cette fois le père Noël n'a pas éternué ! Il est presque guéri, et pendant que Florence se rendort dans son petit lit, il va distribuer ses jouets Vite ! demain, c'est Noël...

Paquet-cadeau

Sorceline et Sorcinelle sont
deux petites sorcières.
Devant le sapin que leur mère,
la sorcière Garoderrière, a décoré
de chauves-souris et de toiles d'araignées,
elles attendent le père Noël.

– Tête de mouche et queue de rat, cette fois-ci, il ne nous
échappera pas, dit Sorceline.
– Queue de rat et patte de pou, tous les cadeaux seront
pour nous, ajoute Sorcinelle.

Dans le ciel étoilé, le père Noël commence sa tournée. Dans son
traîneau, tous les cadeaux sont rangés, soigneusement emballés.
– Trois jours et trois nuits à faire des paquets-cadeaux,
c'est beaucoup trop, ronchonne le père Noël. Il faudrait
que je trouve quelqu'un pour m'aider...

Mais voici la maison de Sorceline et Sorcinelle.
Sans se méfier, le père Noël passe par la cheminée,
son grand sac sur le dos. Et splouf ! il plonge avec
les deux pieds dans un chaudron de glu où nagent
des crottes de nez et de vieux chewing-gums.
Ça colle tellement qu'il ne peut plus bouger !
– Patte de pou et poil de chat, dit Sorceline,
la distribution s'arrête là !
– Poil de chat et bave de crapaud, s'écrie
Sorcinelle, ouvrons vite tous les cadeaux !
Alors, malgré les menaces du père Noël qui jure
qu'il ne reviendra plus jamais dans cette maison,
les deux petites sorcières déchirent tous les
paquets. Mais aucun jouet n'est assez affreux
pour elles, aucun livre assez effrayant…
Déçues, elles jettent tout dans un coin
et inventent un nouveau jeu : le jeu du paquet-
cadeau. Avec les papiers et les ficelles,
elles se mettent en ricanant à emballer…
le père Noël !

Elles en sont déjà à la barbe, quand tout à coup apparaît leur mère, la sorcière Garoderrière.

– Bave de crapaud et corne d'escargot, qu'avez-vous fait, malheureuses ! hurle-t-elle. C'est le père Noël en personne ! Vous ne savez donc pas qu'il a le pouvoir de vous priver pour toujours de promenade à balai dans le ciel étoilé ?

– Corne d'escargot et œil de cancrelat, tout mais pas ça ! s'exclament en chœur Sorceline et sa sœur.

Heureusement pour elles, le père Noël n'est pas rancunier.

– J'ai déjà assez perdu de temps, dit-il. Mais puisque vous aimez tellement emballer les cadeaux, aidez-moi donc à refaire ceux que vous avez défaits et venez chez moi l'année prochaine, il y aura de quoi vous occuper !

Alors, si vos paquets sont diablement bien empaquetés, avec des ficelles méchamment emberlificotées, ne soyez pas étonnés !

Dépôt légal : 3e trimestre 2000

ISBN 2.84113.935.2
Imprimé en France par Fournié imprimeurs